D1096711

Über das Buch:

Speisekarten sind besonders gefährdet, und Werbeprospekte gibt es eigentlich nie ohne. Ein fehlerfreies Hinweisschild ist eine Rarität, und die Tageszeitungen beliefern uns kostenfrei mit den neusten Nachrichten aus Politik, Kultur und Sport: die kleinen Verschreiber, die falsch gesetzten Apostrophe, die gefühlten Kommas, die missverständlichen Anweisungen und die unfreiwillig komischen Wortgebilde. Da wird der Müll nicht mehr nach Bioabfall, Glas oder Verpackung getrennt, sondern zwischen Restmüll und Mieter unterschieden. Wer feiert Hallowien? Und wo bekommt man diese süßen Sweet-Shirts? Bei Schnitel mit Championg und Pharmaschinken vergeht uns der Appetit, aber glücklicherweise nicht der Humor.

Seit Bastian Sick seine Internet-Kolumne »Zwiebelfisch« schreibt, erreichen ihn täglich die mal komischen, mal erschreckenden Entdeckungen seiner Leserinnen und Leser. Diese Fundstücke hat er zusammengestellt und mit Kommentaren versehen. Herausgekommen ist das bizarrste Deutschlesebuch der Welt.

Der Autor:

Bastian Sick, Jahrgang 1965, Studium der Geschichtswissenschaft und Romanistik, Tätigkeit als Lektor und Übersetzer; von 1995–1998 Dokumentationsjournalist beim SPIEGEL-Verlag, ab Januar 1999 Mitarbeiter der Redaktion von SPIEGEL ONLINE. Dort seit Mai 2003 Autor der Kolumne »Zwiebelfisch«.

Weitere Titel bei Kiepenheuer & Witsch:

»Der Dativ ist dem Genitiv sein Tod. Ein Wegweiser durch den Irrgarten der deutschen Sprache«, KiWi 863, 2004 (liegt auch als gebundene Schmuckausgabe vor). »Der Dativ ist dem Genitiv sein Tod – Folge 2. Neues aus dem Irrgarten der deutschen Sprache«, KiWi 900, 2005. »Der Dativ ist dem Genitiv sein Tod – Folge 3. Noch mehr Neues aus dem Irrgarten der deutschen Sprache«, KiWi 958, 2006.

Bastian Sick

Happy Aua

Ein Bilderbuch aus dem Irrgarten
der deutschen Sprache

Kiepenheuer & Witsch

7. Auflage 2008

© 2007 by Verlag Kiepenheuer & Witsch, Köln
© SPIEGEL ONLINE GmbH, Hamburg 2007
Umschlaggestaltung: Barbara Thoben, Köln
Umschlagmotive: © Spanishalex / www.fotolia.de;
In-Finity / www.fotolia.de; Mark Rasmussen / www.fotolia.de
Gesetzt aus der Frutiger
Satz: grafik & sound, Köln
Druck und Bindearbeiten: CPI – Clausen & Bosse, Leck
ISBN 978-3-462-03903-0

Inhalt

Liebe Leserinnen und Leser,

man kann es ja kaum noch ertragen: Ständig und überall wird über die »Verlotterung der Sprache« lamentiert. Dabei erfreut sich das Deutsche heute einer größeren Beliebtheit denn je. Und es offenbart sich vielseitig wie nie. Höchste Zeit also, auch mal auf die guten Seiten der jüngeren Entwicklung unserer Sprachkultur hinzuweisen. So hat sich die Zahl der Obst- und Gemüsesorten auf dem deutschen Markt in den letzten zehn Jahren mehr als verdoppelt. Außer Gurken gibt es neuerdings auch Gurgen (jedenfalls in Hessen), und neben der Grapefruit werden jetzt auch Greypfurt und Graipfrut angeboten. Man bekommt Melohnen, Oberschienen und Rosmarienkartoffeln. Und nicht nur das. Deutschland ist auf dem besten Wege, ein Dienstleistungs-paradies zu werden! Während die einen noch ganz offiziell von 7.30 Uhr bis 16.30 Uhr Pause machen, arbeiten andere bereits bis 25 Uhr. Was einst unmöglich erschien, ist heute fast schon selbst-verständlich: In Duisburg kann man sonnen, bis man schwarz wird (so verheißt die Werbung eines Sonnenstudios), in Dortmund hat der erste Waschsahlong eröffnet, und in Düsseldorf gibt es eine Pizzeria, bei der man für zwei Pizzas bezahlen kann, wenn man eine bestellt. All das lässt doch hoffen! Für die Zukunft unserer Gesellschaft genauso wie für die Zukunft unserer Sprache. Immer mehr Menschen machen sich Gedanken über gutes und gerech-tes Deutsch, Sprachrettungsklubs schießen wie die Preußen aus dem Erdboden. In Internetforen wird lebhaft über die Ursachen des Sprachverfalls und über sinnvolle Gegenmaßnahmen debat-tiert. Auf die Frage, worin sich die »Verlotterung der Sprache« zeige, nennt ein Diskutant als Beispiel »die minimalisierung des durchschnittlichen wortrepetois«.

Ermutigende Zeugnisse dieser Art findet man fast überall. Man muss nur mit offenen Augen durch die Welt gehen. Immer mehr Menschen tun dies, manch einer geht schon gar nicht mehr ohne Kamera zum Einkaufen, und so landen in meinem Postfach Woche um Woche die herrlichsten Fundstücke, die ich im wöchentlichen Wechsel mit meiner »Zwiebelfisch«-Kolumne auf Spiegel Online präsentiere. Eine Auswahl davon habe ich nun für dieses Buch zusammengestellt. Da es ohne die Hilfe meiner Leserinnen und Leser nicht möglich geworden wäre, will ich die Gelegenheit nutzen, mich an dieser Stelle bei allen Einsendern ganz herzlich zu bedanken. Und danken will ich auch meinen Mitarbeitern, namentlich Dörte Trabert und Simon Wolf, die mir geholfen haben, all die vielen Fundstücke zu sichten, zu sortieren und fehlende Angaben zu recherchieren.

Darf man über solche Fehler überhaupt lachen? Verstößt es nicht gegen die Gebote der politischen Korrektheit, sich über die kleineren und größeren Patzer von Ladeninhabern, Gastwirten, Supermarktverkäufern, Nagelstudiobesitzerinnen und Bäckereimitarbeitern zu amüsieren? Von den schriftlichen Erzeugnissen unserer Mitbürger und Mitbürgerinnen mit Migrationshintergrund ganz zu schweigen? Darf man über Imbissbuden-Rechtschreibung und Döner-Deutsch lachen? Natürlich darf man das! Schließlich geht es hier – im Unterschied zu diversen Sendungen des Privatfernsehens – nicht darum, einzelne Menschen vorzuführen und der Lächerlichkeit preiszugeben. Es geht darum zu zeigen, wie haarsträubend komisch unsere Sprache sein kann, wie schnell ein völlig neuer Sinn entsteht, wenn man aus Nachlässigkeit oder Gedankenlosigkeit nur ein paar Buchstaben miteinander vertauscht. Sonst wären uns Spezialitäten wie Gülühwein und Tittenfish heute völlig unbekannt. Wir wüssten nicht, was ein Heinzgerät ist und wo man Versage-Hosen bekommt. Wir könnten weder vorwärt's noch rückwärt's buchstabieren, ja, wir wüssten womöglich nicht einmal, wo recht's ist und wo link's! Das Lachen über die Fehler anderer ist kein bösartiges Lachen, sondern ein befreiendes Lachen. Denn schließlich wissen wir: Nobody is perfect. Gegen Fehler ist niemand gefreit. In diesem Sinne also: Viel Vergnügen mit den »Zwiebelfischchen«!

Bastian Sick
Hamburg im August 2007

Bildung führ alle!

Der, die, das, wieso, weshalb, warum?
Dieser schlaue Buch hilft weiter!

der Bär

Das haut den Lehrer glatt vom Stule:
Jetzt gibt es Bücher für die Schuhle!

Gefunden im Juli 2006 vor
einem Geschäft in Hahnstätten
(Rheinland-Pfalz)

Niemand weiß, wie die Zukunft aussehen wird. Auch die Berufsschulen nicht. Die wissen zum Teil nicht einmal, wie man sie schreibt.

Fotografiert in Stendal

Die Pädagogen in Berlin-Brandenburg folgen dem neuen Trend nach Rechts und bieten nun von sich aus an, Lehrer zu Neonazis auszubilden.

Gefunden auf www.lehrer-online.de

»Anal« bedeutet soviel wie »den Hintern betreffend«.
Ein Analphabetisierungskurs ist demnach auf gut Deutsch
»für den Arsch«!

Analphabetisierungskurs

Dieser Kurs wendet sich an ausländische Mitbür-
ger/innen, die sich gerne mit der Sprache Deutsch
beschäftigen möchten. Deutsch soll dabei in Wort
und Schrift gelehrt und gelernt werden.
Der tägliche Umgang mit der deutschen Sprache,
sei es beim Amt, im Verkehrsnetz, bei Einkauf und
auch mit den Nachbarn, soll durch ein verbessertes

Gefunden im Kursprogramm 2006/07
der Volkshochschule Bremervörde

Korrekturleser (m/w)

Westfalen Teilzeit / vormittags / 20 Std./W. 1

Für eine Firma in Münster suchen wir zum 01.02.07
eine/ nKorrekturleser/ in. Perfekte Kenntnisse der
neuen Deutschenrechtschreibung zwingend
erforderlich.

Manche Stellenanzeige erklärt den Personalbedarf aus sich selbst
heraus.

Entdeckt auf www.backinjob.de

14

Daführ gibt es keine Worte.

Deutschpflicht gewinnt mehr Führsprecher

Bundesweite Regelung

Berlin (afp). In der Union mehren sich Forderungen, Deutsch bundesweit als Pflichtsprache auf deutschen Schulhöfen einzuführen. Ein entsprechender Vorstoß solle von den Schulen bundesweit aufgegriffen werden, forderte die Junge Union (JU) in einer am Dienstag veröffentlichten

Aus dem »Göttinger Tageblatt«

Neu im Sortiment

Der Duden hat 130.000 Stichwörter im Sortiment; die beiden folgenden Varianten sind allerdings nicht dabei.

Hinweis in einem Edeka-Markt in Würzburg

Werbetafel einer Bäckerei in Königsbrunn

Das kommt davon, wenn in den Filmen heutzutage immer so undeutlich gesprochen wird.

Gefunden im Kaufhof in Darmstadt

Heinzgerät

Temperaturreglung
500, 1000, 1500 Watt, 230 Volt

69.99

Ja, der liebe Heinz war schon immer erfinderisch! Im »Globus Baumarkt« in Ilmenau gibt es seine neueste Erfindung zu kaufen.

Messer, Gabel, Schere, Licht – sind für zarte Hände nicht.
Auf den Herd soll man sie auch nicht legen – das Gleiche gilt
für Kettensägen.

Werbetafel der Baumarktkette Hornbach

Das neue Freizeitvergnügen, bei dem es gilt, eine Dieter-Bohlen-Figur umzukegeln, findet immer mehr Anhänger. Jetzt gibt's dazu auch die passende Tasche.

Gefunden bei H&M in
Düsseldorf

Gesucht wird: eine
nordische Sportart, bei
der man wie auf
Wolken geht.
Mit 13 Buchstaben.

Nordic-Wolking

Teleskopstöcke

Entdeckt im
»Ullrich-Verbrauchermarkt«
in Berlin-Mitte

Paar 12,99 €

Gesehen bei
»Kaufhof« in Leipzig

Entdeckt in der Stuttgarter Innenstadt

Sprichwörtliche Stilblüten

Man hat ja schon Menschen zur Salzsäure erstarren sehen, aber diese Behauptung schlägt dem Fass die Krone ins Gesicht.

den Naturgewalten gegebenüber und auch auf weiter Flur.

So brachte ich kürzlich ein fröhliches Lied vor mich her pfeifend die Wäsche in die dafür vorgesehene Küche, wo ich just zur Salpetersäure erstarrte, als dort der Alptraum aller Elefanten vorbeihuschte. Eine unterernährte, mich mit winzig kleinen Knopfäugelchen ansehende aber nichts desto trotz leibhaftige Maus flitzte durch den Raum. Auf der Erkundungsfahrt durch mein Nervenkostüm erinnerte ich mich nur noch an die Namen unserer Stubentiger, die ich so laut ich konnte rief.

Entdeckt auf www.rp-online.de

Da kommen sie wieder: Greti und Peti – mit Pauken und Tapeten!

Und Jan Ulrich (T-Mobile)? Er belegt mit letztlich 1:08 Minuten Rückstand auf den Tagessieger einen enttäuschenden 12. Platz. Viel entscheidender ist allerdings, dass er in der ersten Schlacht gegen Lance Armstrong mit Fliegen und Fahnen unterging — und nach 3/4 der Strecke vom Texaner überholt wurde ...

Gefunden im Live-Ticker zur
Tour de France auf www.sueddeutsche.de

Wie hieß die Redewendung noch mal? Sand nach Athen
schleppen? Philosophen nach Athen fahren?

rung breit.
    Die Handlung des Films noch
einmal im Detail wiederzugeben
hieße Säulen nach Athen tragen.
Nur so viel: Der Kurator des Louvre

Entdeckt in der »Taunus Zeitung«

Katastrophen mit Apostrophen

Gesehen in Wernigerode

Nicht allen ist klar, wo ein Apostroph zu stehen hat. Claudia entschied sich dafür, ihren Apostroph tiefer zu legen. Nun ist er zu einem Komma geworden, und wir haben es also mit einem Hauptsatz (Claudia) und einem Nebensatz (s Fitness-Studio) zu tun.

Fundstück aus Gerlingen

Dieser selten schöne Apostroph der Gattung »apostrophus stupidus incredibilis« wurde bei einem Ausflug an den Ammersee in Herrsching gesichtet.

Handie`s

sind keine

Echtgeräte

sind

Dummies

Die Betrachtung dieses anmutigen Zeugnisses geistiger Verwirrun'g mündet unweigerlich in die Frage: Warum hat der Verfasser den Plural von »Dummies« nicht auch apostrophiert?

Gesehen auf einem Postamt in Schwäbisch Gmünd

Im »Rössle« in Geislingen steht's stets falsch geschrieben.

Hier wurde der Sinn von Apostrophen nochmals reduziert.

Und hier war der Deutschunterricht offenbar für die Kat'z!

Ladenschild aus der Dachauer Straße in München

Das bisschen Haushalt ist doch kein Problem, sagt mein Mann? Von wegen! Der Inhaber dieses Reinigungsdienstes hat allerhand Probleme mit dem Haushalt – zumindest mit der Schreibung. Er wusste sich nicht anders zu helfen, als das Wort Haushaltsservice mit nicht weniger als zwei Bindestrichen und einem Apostroph brutalstmöglich in vier Teile zu zerhacken.

Werbung eines Reinigungsunternehmens auf Fehmarn

Alles, was recht ist – aber dies ist falsch. Sowohl von Rechts wegen als auch von links kommend.

recht's

Werbetafel an der Autobahn bei Itzehoe

Eine Erklärung gibt es, die diesen Apostroph rechtfertigen könnte: Der Inhaber dieses Geschäftes kommt aus Asien und heißt
Na So Wa

Gute Neuigkeiten für den deutschen Arbeitsmarkt: Ikea bietet
Stellen an! Die Sache hat nur einen Haken: E-Mail-Adressen funktionieren nicht mit Apostroph! Schon gar nicht mit einem falschen.

Fotografiert in Freiburg, Breisgau

Drei Fehler in einem Wort – das muss man erst mal schaffen!
Richtig wäre Lexika oder auch Lexiken. Ein Fundstück aus dem
Media's Markt – die werben ja bekanntlich mit dem Slogan
»Ich bin doch nicht blöd« …

HOROSKOP

Schönbergerstr.22

24148 Kiel

DISCO

JETZT WIEDER IN KIEL

LADYS - NIGHT

WIE DAMALS IM BROKER`S

40 FREIGETRÄNKE FÜR JEDE FRAU

LOS GEHTS`S IMMER

MITTWOCH`S

Öffungszeiten:
Mi-Fr & Sa 21:00 bis 4.00 Uhr

Schlimmer gehts's nimmer – oder doch? Aber lassen wir die Apostrophe mal beiseite und nehmen wir stattdessen das Angebot unter die Lupe, mit dem man die Damen zu locken versucht: 40 Freigetränke für jede Frau. In Worten: vierzig! Da stellt sich doch die Frage: Wie hässlich müssen die Männer in Kiel sein?

Frauen

He, was gibt es da zu lachen? Das Wort »Frauenparkplatz« ist einwandfrei geschrieben!

Gesteigerte Vorsicht in Sachsen. Hier sind die Damen beim Einparken offenbar noch einen Zacken forscher.

Wenn Frauen ausparken ...

Frauen können nicht parken - weder ein noch aus. Oder wie war das mit Vorurteilen? In Rodewisch stießen zwei junge Damen beim Ausparken mit ihren Hinterteilen zusammen. Und noch eine Besonderheit an der Geschichte: Beide heißen

Fundstück aus der »Chemnitzer Morgenpost« vom 16.5.2003

In Italien und Spanien wurden neue Bestimmungen zur Verkehrssicherheit erlassen. Dort müssen Frauen im Verkehr von weitem kenntlich gemacht werden.

Frau mit Warnweste: In Italien und Spanien bereits Pflicht

Bildunterschrift auf »Spiegel Online« vom 1.9.2004

Beim Fußball ist die Welt noch in Ordnung. Da teilt sich die Welt in normale Erwachsene (also Männer) und soziale Randgruppen (z.B. Frauen). Zwei Eintrittskarten des diesjährigen Hallenfußball-Stadtpokals in Duisburg:

Vorbildlich: Dieses Internetcafé in Berlin-Kreuzberg hat seine Räumlichkeiten für gesellschaftliche Minderheiten erweitert.

»Denn alleinstehende ältere Damen, die nicht immer allein sein wollen und sollen, haben auf Schiffsreisen eindeutig Übergewicht.«

Gefunden in den »Kieler Nachrichten« vom 23. Oktober 2003

»Der Bundeskanzler wäre gut beraten, wenn er diese Ministerin (Brigitte Zypries, Red.) so schnell wie möglich gegen eine gestandene Frau vom Typ Schily auswechseln würde.«

Fundstück aus der »Hamburger Morgenpost« (Mopo), Rubrik Leserbriefe

Darauf haben die Herren gewartet: Die Schnäppchenjagd auf Damen ist eröffnet!

. . . .

Damen
Damen auch zum Sofortkauf in der eBay Filiale!
auktionen.schnaeppchenjagd.de

Männer, aufgepasst! Wer die Frau fürs Leben noch nicht gefunden hat, der findet sie vielleicht hier! Und das auch noch zu sensationell günstigen Preisen! Denn wie immer lautet die Devise: Jedes Stück muss raus!

Fotografiert in der Münchner Fußgängerzone im Januar 2005

Frauen finden später einen neuen Job als Männer

Nachteile auch bei der Lehrstellensuche

Wenn es als Frau nicht klappt, dann probieren Sie es doch später mal als Mann. Das soll funktionieren! So wusste es jedenfalls die WAZ zu berichten.

Männer

Das idyllische Örtchen Ochsenwang, im Schwäbischen gelegen, ist seit Jahren streng feministisch. Chauvis und Machos werden gnadenlos ausrangiert.

Mann trägt wieder Weiß!

Ist Ihnen der Rechtschreibfehler im Namen aufgefallen? Wenn
dort »Drag's« statt »Dag's« stünde, wäre alles in Ordnung.
[drag (engl.) = von Männern getragene Frauenkleidung; drag
queen = Transvestit]

Gesehen in einem Schaufenster in Arnsberg

Röcke für Frauen und für Männer?
Neckermann macht's möglich!

Kinder, Kinder ...

In der Gurkgasse in Wien steht ein Haus, das die kühnsten Eltern-
träume wahr werden lässt:

Kein Gen-Labor, sondern ein Bekleidungsgeschäft

Gesehen in Paguera auf Mallorca

Damit keine Finger oder Zehen verlorengehen. Aus einem Schreiben der Ferdinand-Porsche-Schule in Weissach an die Eltern der Schulanfänger:

»Versehen Sie bitte jedes einzelne Teil ihres Kindes mit seinem Namen.«

Sie wissen manchmal nicht, wohin mit Ihren Kindern? Besuch kündigt sich an, und die Kleinen stehen wieder nur nutzlos im Weg? Damit ist jetzt Schluss, denn es gibt die praktischen Kinder-Aufbewahrungsbehälter, in vielen bunten Farben und Formen!

Kinder Aufbewahrungsbehälter*
Polyester-Tonne, verschiedene Farben
und Dessins, ca. Höhe 65,
Durchmesser 45 cm
9.95

Gesehen auf www.jibi.de

Obst und anderes Gemuze

Findstuck auz dem Taunuz

Es wird ja immer besser! Jetzt gibt es Ananässer!

Hessisches Gemüse. Wahlweise gibt's auch noch Broggoli und Suggini.

Gefunden im Edeka-Markt in Kassel

Sag, wo kommen eigentlich die Pampelmusen her? Aus Frankfurt? Nein. Aus Schweinfurt? Nein. Woher dann? Ganz einfach: aus Greypfurt!

Gefunden bei Antalya/Türkei

Man kennt gefühlte Temperaturen, gefühlte Geschwindigkeit, selbst vom »gefühlten Komma« haben wir schon gehört. Nun kann man auch Gemüse fühlen!

Schaufensterbeschriftung eines Gemüseladens in Bremen

Treffe Freunde!

Warum wendet der Schwabe niemals den Blick vom Keksteller?
Weil er aufgefordert wurde, sein Gebäck nicht unbeaufsichtigt
zu lassen!

Was wäre Werbung ohne lausiges Deutsch?

Und feier den Untergang der Grammatik doch gleich mit!

Sollte das Wort »Mutter« im Hanauer Land tatsächlich männlich sein? Wenn nicht, dann haben die dortigen Floristen entweder ein sehr spezielles Verhältnis zu ihren Müttern – oder zum Genitiv.

Blumen erfreuen des Mutters Herz
Floristen im Hanauerland haben das richtige Geschenk

Gern, gerner, am gernsten?

Tiermarkt

Getigerter Kater 8 J. alt sucht neues Zuhause. Stubenrein, verspielt, hält sich am gernsten draußen auf. Das Fell ist schön braun/schwarz gestreift.
☎ 071

Kleinanzeige aus der »Hohenloher Zeitung«

Wie war das noch mal mit dem Unterschied zwischen
»wie« und »als«?

Billiger wie mieten
Herrlich gelegene 3 Zim. - ETW
in Bad Münster/Stein zu verkaufen.
Bei 11.000,- € Anzahlung,
monatl. 380,- € Zins u. Tilgung.

Anzeige aus dem »Wochenblatt« (Pfalz)

Dringender Spendenaufruf:
Das Rote Kreuz in Ostfriesland bittet um ein T!

Entdeckt in Filsum, Ostfriesland

Von diesem Aufruf fühlen sich nicht nur die Freunde des
Imperativs getroffen ...

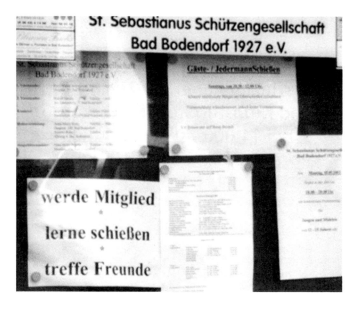

Do you speak Denglisch?

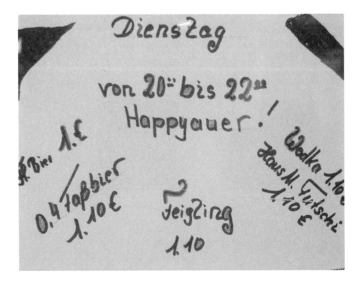

Dieses Beispiel aus Berlin-Kreuzberg nimmt den Kulturpessimisten den Wind aus den Segeln, denn es zeigt: Die Eindeutschung der englischen Sprache ist nicht mehr aufzuhalten! Wie will feinelie owerkamm!

Zu »No 2« ist es bis heute nicht gekommen. Stattdessen erhielt der Inhaber dieses Berliner Lokals zahlreiche Einladungen zu Englisch-Kursen.

Karo-An, Herz-Zu, Kreuz-Auf, Pik-Ab?

Entdeckt am Erlebnispark in Ziegenhagen (Nordhessen)

Geradegebügelt

Mit dem Bügeleisen übers Sensenblatt oder: Wie wetzt man eine
Scharte aus.

»Vielleicht will er mit diesen Repetitionen
die strategische Scharte ausbügeln, denn
für diese Aktion war er allein verantwort-
lich und Ché noch längst nicht an Bord.«

Gefunden im SPIEGEL Nr. 32/2003

H3-Reporter Carsten Sostmeier während der TV-Übertragung
eines Reitturniers in Wiesbaden:

»Was einmal in die Hose gegangen
ist, kann nicht mehr geradegebügelt
werden.«

»Ach, liebe Tilly, Ihre Haut ist immer so glatt – wie machen Sie das nur? Die sieht aus wie …« – »Wie gebügelt, meinen Sie?«

Gesehen in Köln-Zollstock

Jetzt wird's heiß:
Leck meine Stiefeln!

Der Löwenbrüller aus dem Baumarkt: Eine ganze Serie feuchter Träume für nur 1,99 Euro! Da kann Beate Uhse einpacken! Und jetzt wissen die Frauen auch, warum Männer so gern in Baumärkte gehen …

Diese Domina quält mit allen Mitteln. Auch mit grammatischen.

Anzeige aus dem Magazin »Prinz«

Dieser Korrekturvorschlag wirft die Frage nach der Definition des Wortes »Orden« auf: Ist hier eine »Gemeinschaft Gleichgesinnter zur Förderung des gemeinsamen Interesses« gemeint oder eine »Auszeichnung für herausragende Leistungen«?

Rechtschreibung und Grammatik: Deutsch (Deutschland)

Nicht im Wörterbuch:

Bei Zusammenstößen nach den traditionellen Umzügen des Oranier-Ordens| in Belfast sind

Vorschläge:
Onanier-Ordens

Screenshot einer Word-Rechtschreibprüfung

Früh übt sich, was eine Wildsau werden will …

■ Stolze Schulkinder: Urkunden gab es für die Meister im Schlauchficken ebenso wie im Rollbrettfahren. - Foto: privat

Aus dem »Brühler Schlossboten« vom 20.7.2001

Was man ansticht, und sei es nur zur Probe, kann selbstverständlich kaputt gehen.

Kondome mit Löchern

■ Unrühmlicher Höhepunkt der „Nationalen Kondom-Woche" in England: eine Firma rief 140 000 Kondome vom Typ „Goldener Ritter extra stark" vom Markt zurück, weil sie Löcher haben könnten, wie Stichproben ergaben.

Fundstück aus dem »Kölner Express«

Bitte beachten Sie vor allem den Apostroph, denn der ist überflüssig! Man bläst <u>ins</u> Rathaus, bläst <u>vorm</u> Rathaus, bläst <u>fürs</u> Rathaus und <u>ums</u> ganze Rathaus herum.

Konsum verpflichtet

Nicht nur Adel und Eigentum verpflichten, sondern auch
Konsum – jedenfalls in Holland.

Hinweisschild in einem Selbstbedienungsrestaurant in Holwerd bei Groningen/Niederlande

»Aufmerksamkeit, Aufmerksamkeit, hier spricht die Polizei!«

ATTENZIONE!
Balneazione non sicura per mancanza di apposito servizio di salvataggio.
Limite acque interdette alla navigazione (metri 300 dalla costa) non segnalato.
Limite acque sicure (metri 1,60) non segnalato.

ATTENTION!
Not sure bathing for lack of appropriate service of rescue.
Limit waters interdette to navigation (meters 300from the coast) not marked.
Limit sure waters (meters 1,60) not marked.

ATTENTION!
Se baigner non sûr par manque de service approprié de délivrance.
Limite arrose l'interdette à la navigation (mètres 300 de la côte) pas a marqu
Limite les eaux que sûres (mètres 1,60) pas ont marquée.

AUFMERKSAMKEIT!
Das nicht sichere baden für mangel an passendem service der rettung.
Begrenzung wässert interdette zur navigation
(mebinstrumente 300von der küste) nicht kennzeichnete.
Begrenzung die sicheres wasser (mebinstrumente 1,60) nicht kennzeichnet

Qualunque segnalazione di emergenza
sia in mare o sulle spiagge può avvenire
telefonando con telefono fisso o mobile al

Gesehen an einem italienischen Strand

Wer noch immer nicht weiß, wer er ist und wozu er auf der Welt ist, der erfährt die Antwort auf seine Fragen an diesem spanischen Strand.

Hinweistafel eines Hotels in Novo Sancti Petri/Südspanien

Beet-Stampfer sind an diesem Badeort nicht gern gesehen. Und
Leute, die sich aufs Gas legen, auch nicht.

Hinweisschild am Gardasee/Italien

Fundstück aus der Dominikanischen Republik. Der Bürgermeister von Mühlheim soll bereits Beschwerde eingereicht haben.

Selbst sprechendes Schild

Hinweis in einem Hotelrestaurant in Kapstadt/Südafrika

Der Preis für die lustigste Übersetzung geht in diesem Jahr nach Italien.

Hinweis am Bahnhof in Triest/Italien

Wie lautete doch noch mal die deutsche Übersetzung des englischen Wortes »Fan«?

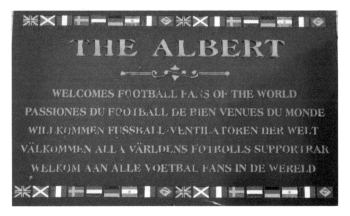

Begrüßungstafel auf dem Weg zum Fußballstadion Anfield Road in Liverpool /England

Früher bellten die Hunde, damit die Karawane weiterzieht.
Heute können Kamele lesen, daher genügt ein Schild.

Gefunden in St. Tropez/Frankreich

Donalds, Berliner und andere Pfandkuchen

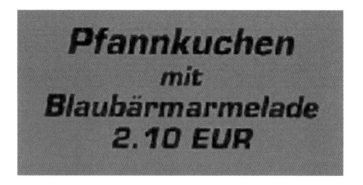

Die Käpt'n-Blaubär-Generation ist erwachsen geworden und erobert die Werbung und die Gastronomie. Da bleibt das eine oder andere orthografische Malheur nicht aus.

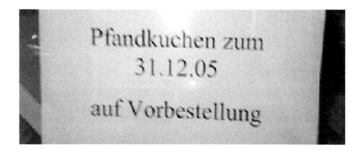

Ob die Kunden dieser Bäckerei im Ferienpark Mirow/Granzow (Mecklenburg-Vorpommern) ihren Kuchen auch schön brav wieder zurückgebracht haben?

Da wird doch der Berliner in der Pfanne verrückt: Kennedys berühmte deutsche Worte ins Englische rückübersetzt – vermutlich von Homer Simpson.

Dining

On the corner of almost every street vendors sell a delicious treat known as *currywurst*, a spicy sausage with a curry tomato sauce. A typical Berlin delicacy, *currywurst* is a perfect snack to keep you going in-between museums. Alternatively, you can stop in one of the many street cafes and enjoy delicious pastries, and coffees, or perhaps a donut in homage to ex-US President Kennedy, who, in 1961 in front of a crowd of a half a million people famously said: "Ich bin ein Berliner." ('I am a doughnut').

Previously renowned for its grossly meaty dishes, Berlin now offers lighter and more health-oriented eateries – even vegetarian restaurants have popped up alongside international cuisine. There are plenty of eateries and drinkeries in *Kurfürstendamm, Oranienburger Strasse* or *Hackesche Hofe*.

Fundstück aus dem »Oryx«-Kundenmagazin der Qatar Airways

Doughnuts auf hessische Art:

Gebackene Ente?

Gesehen am
Münchener Hauptbahnhof

Halloween

Passend zu Halloween: Furschtbares Deutsch!
Und noch schauderhaftere's Englisch.

Anzeige eines
Bierlokals in Halle
an der Saale

Hallowien ist vorbei. Was kommt als nächstes? Hallomünchen?
Halloberlin?

Fundstück aus einem Supermarkt in Berlin-Mitte

Auf dem Parkplatz

Diese Art des Einparkens stellt selbst den Smart vor eine echte Herausforderung:

Gefunden am Nürtinger Bahnhof

Warnhinweis für Fußbälle.

Gesehen in München-Großhadern

McDonald's Parkplatz

Nicht anwesende McDonald's Kunden werden kostenpflichtig entfernt!

Ich liebe es: Kostenpflichtige Kundenentfernung bei Nichtanwesenheit!

Gesehen auf dem Parkplatz von McDonald's am Königssee (Bayern)

Wie bitte, Ihr Hund hat noch keinen Führerschein? Meine Katze hat ihren im letzten Sommer gemacht, seitdem fährt sie immer selbst zum Tierarzt.

Gefunden im Olympischen Dorf, München

Da kam jede Hilfe zu spät: Nach erbittertem Todeskampf verstarb der Genitiv in Hessen endgültig. Dem Dativ erbte alles.

Parkschild in Gießen

Sortierter Müll

Das Wort »Hundekotentsorgungsbeutel« kann ja kein
Mensch lesen. Kein Wunder, dass es da immer wieder zu
Verwechslungen kommt …

Entdeckt in der Lübecker Innenstadt

Hilfe! Nein! Ich will nicht in den Reißwolf!

Nun wissen wir endlich, wer die Schuld an der Verdummung der Schüler trägt: die Spielzeugintusdrie!

Nachmieter gesucht für komfortable Container-Wohnung in Berliner Hinterhof (nicht Top-Lage, aber Top-Lader).

An der Straße

Welch einfühlsame Werbung: Nicht der Durchreisende ist fremd, sondern das Zimmer, in dem er übernachtet.

Gesehen in Mainz-Kostheim

Chemische Revolution aus dem
Weserland: Wasser ohne Wasser!

Gefunden vor einem Supermarkt in Hämelerwald

Türkische Spezialität zur Weihnachtszeit!

Fotografiert auf einem Supermarktparkplatz in Bargteheide

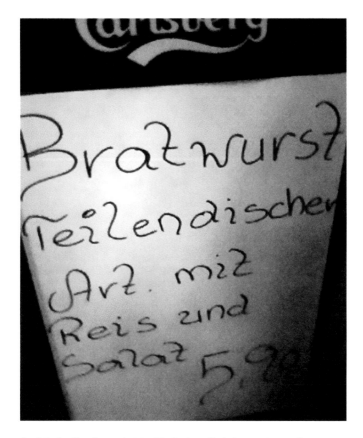

Rechtschreibreform, letzte Stufe: Lendisch kommt von der
Lende, wird daher mit »e« geschrieben, und aus einem Teil der
Lende, also aus einem Teilende, wird Bratwurst gemacht. So
glaubt man es jedenfalls in einer Braunschweiger Kneipe, wo
man von Thailand noch nie was gehört hat.

Mit der Klobürste gepudert

NICHT VON DER SEITE
IN DAS BECKEN
SPRINGEN

In dieses Becken sollte man auch nicht von vorne zu springen versuchen, und erst recht nicht vom Drei-Meter-Turm.

Entdeckt im Hallenbad in Emden

Offenbar werden in Hessen immer wieder Menschen vom Durst überwältigt:

Gesehen in einer öffentlichen Toilette in Hessen

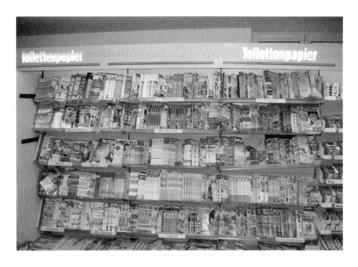

Ein Beispiel für die »neue Ehrlichkeit« gegenüber dem Kunden.

Entdeckt im HL-Markt Hönigschmidtplatz in München

»Oh«, sagt sie entzückt, »hübsche Toilettenbürste! Ist die von
Ikea?« – »Nein«, sagt er, »die habe ich aus dem Internet! Super
günstig übrigens, ist nämlich gebraucht!«

Koziol Ersatzbürstenkopf für Toilettenbürste TOQ
Koziol

Leider ausverkauft. Wir empfehlen stattdesse
Sie können ihn auch gebraucht vorbestellen.

Größeres Bild

Angebot auf amazon.de

Es ist ja bekannt, dass Klobürsten nicht gerade keimfrei sind.
Aber seit wann ist das ein Verkaufsargument?

WC-Bürste/Halter
VIREN
0,99
(Der Preis kann in den IKEA Einrichtungshäusern
unterschiedlich sein.)

Designer: < Hagberg/M Hagberg

Entdeckt im Internet-Katalog von Ikea

Missverstandene Rechtschreibreform

Ein gutes Beispiel für rechtschreibreformbedingten Getrennt-
schreibungsunsinn. Diese Cappuccino-Tüte ist endlich wieder
verschließbar. Das Vorläufer-Modell scheint demnach wohl
geklemmt zu haben.

Ein Beispiel für geniales Marketing: Meßmer macht es allen recht! Denen, die nach neuer Rechtschreibung schreiben (außen), denen, die nach klassischer Rechtschreibung schreiben (innen), und schließlich all jenen, denen Metallklammern im Tee immer Sodbrennen verursachen.

Wenn Journalisten versuchen, die Rechtschreibreform zu erklären, gibt es immer was zu lachen.

Laut neuer Rechtschreibung falsch geschrieben. Richtig ist Schlossplatz.

Aus der »Berliner Zeitung« vom 4.4.2006

Kurz gebraten und schaf gewurzt

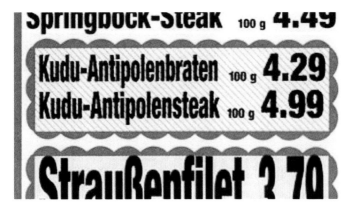

Da brat mir einer einen Strauß!
Polenfeindliches Fleisch aus Südafrika?

Werbung einer Fleischerei in Burgdorf bei Hannover

Die polnische Weihnachtsgans ist passé. Die neue Geflügel-
sensation kommt aus Russland: die Putin-Keule!

Entdeckt in einem Kölner Anzeigenblatt

Dass Kalbfleisch in Wahrheit vom Schwein kommt, haben wir ja immer schon vermutet. Hier nun der Beweis:

Angebot einer Großmetzgerei in Germering bei München

Imbissdeutsch für fort Geschrittene.

Gesehen in der Fußgängerzone in Wiesbaden

Hier kocht die Sau!

Und hier fläzen sich Koteletts in Liegestühlen:

großes Gerät.

Die Stimmungslage auf dem Gelände pendelt zwischen Festival und Campingplatz. Auf einem Grill brutzeln Schweinekoteletts. Einige haben es sich auf Liegestühlen gemütlich gemacht.

Auch Dirk Gadow von der „Deutschen

Behämmert im Nagelstudio

Dass Nasen laufen können, ist kurios, aber unbestritten. Mit Hilfe eines niederländischen Stechers können Nasen jetzt auch hören!

Fotografiert 2004 in Noordwijk/Niederlande

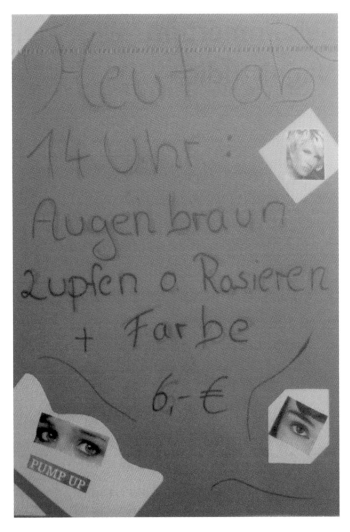

In diesem Salon in Nürnberg werden Ihnen die Augen gezupft, bis sie braun werden. Sie können sich auch plus Farbe rasieren lassen. Aber beschweren Sie sich nicht, wenn Sie hinterher aussehen »wie d' Sau«.

Fundstück aus Dortmund, das sich gewaschen hat!
Ich kam, sah, sah long und immer longer …

Einschalten, wegdösen, langsam verschmoren.

Werbung eines Sonnenstudios in Duisburg

Auf dieser Preisliste einer Parfümerie in Coesfeld haben nicht nur die Pigmente eine Störung:

Fouani

Preisliste

Kosmetik-studio

- Kosmetische-komplett-behandlung.. 39 €
- Reinigungs-behandlung ... 28 €
- Permanent make-up ...   200 €
- Falten-unter-spritzung ... 350 €
- Body-tatto ... ab   25 €
- French-manicüre ...   18 €
- Braut make-up ...   17 €
- Nail-design ...   18 €
- Wimpern-dauerwelle ...   18.50 €
- Pigment-störung ... ab   25 €
- Neu bei uns ab-september
Dauer-hafte-haarent-fernung
(Bright Light) ...   100 €

Hier zwei Teile zusammennähen, dort ein »r« kürzen, schon
käme eine perfekt sitzende Änderungsschneiderei heraus.

Gesehen in Leinfelden-Echterdingen

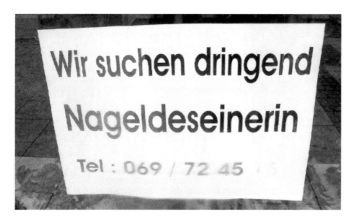

Und noch dringender suchen wir jemanden mit Rechtschreib-
kenntnissen!

Gesehen auf der Zeil in Frankfurt am Main

Neues aus dem Schilderwald

»Opi, Opi, bitte mal mir ein Schaf!« – »Schafe kann ich nicht malen. Ich kann nur Kühe.« – »Ich will aber ein Schaf!« – »Also schön, hier hast du dein Schaf! Und jetzt gib Ruh!«

Fotografiert in den Löwensteiner Bergen nahe Schwäbisch Hall

Willkommen im Reiterparadies für Exhibitionisten! Doch aufgepasst: Im Winter – so wie auf dem Foto zu sehen – könnte es im
Schritt etwas kühl werden.

Schild aus Pfaffenhofen an der Ilm

Das ist doch mal eine klare Richtungsangabe, wenn nicht gar die grafische Darstellung des Regierungskurses.

Hinweis am Reichstagsgelände in Berlin

Richtungsemphehlung im griechisch-euphorischen Stil:

Gesehen an einer Baustelle in Solingen

Gesehen im Westerwald (wo anscheinend jeder einen Geländewagen fährt)

Jedem Ende wohnt ein neuer Anfang inne, so auch in dieser Spielstraße in Prag.

He, ich bin ein Samstag, ich darf hier durch!

Fotografiert in Saas Fee/Schweiz

Schilda-würdige Anordnung von Schildern.

Gefunden am Parkplatz zu den Externsteinen bei Horn-Bad Meinberg

Speisen à la carte

Erst Spargel Schingen, dann Pizza Singen:
Da hatte wohl jemand Tomten auf den Augen!

Fotografiert im Mai 2006 auf der hessischen Landesgartenschau in Bad Wildungen

Cordon Bleu auf Türkisch.

Schweinsmedaillions auf l
mit Tagliatelli
Forellenfilet mit Knoblaud
Wiener mit Pommes
Gordon Blue mit Pommes

Entdeckt auf der Angebotskarte einer Döner-Bude in Hameln

Loup au senteur de fenouil
Seawolf - Branzino fenchel

Seiche à la plancha
Cuttlefish «à la plancha» - Tittenfish «à la plancha»

Friture d'Eperlan
Fried small fishes - Fritierte kleine fische

Calamar à la romaine

Dieser Wirt versteht es, die Neugier deutscher Touristen zu wecken.

Entdeckt auf einer Speisekarte im französischen Urlaubsort Portiragnes-Plage

Auf zur Schnäppchenjagd!

Mit einem mutigen Preisnachlass hat Woolworth die Rabatt-Schlacht wieder angeheizt.

Eröffnungsangebot einer Pizzeria in Düsseldorf. Es ist allerdings nicht sicher, ob es der Inhaber wirklich bis zur Eröffnung durchgehalten hat.

»Hicks! Auf Majorka sinn alle immersssu beschwippsst. Hicks! Wie kommdass nur?«

Entdeckt in Manacor auf Mallorca

Prozentrechnung ist nicht jedermanns Stärke. Also gibt man die Ergebnisse lieber mit »Ca.« an. (Dass es den Duden nur noch für kurze Zeit geben soll, ist nicht minder erschütternd.)

Trink Wasser für Hunde!

Spende Geld für die Bedürftigen! Trenne Müll der Umwelt zuliebe! Trink Wasser für Hunde! (Was Letzteres bewirken soll, ist nicht ganz klar. Vielleicht weiß es jemand im Bezirksamt Hamburg-Eppendorf, denn dort hängt dieser Aufruf.)

Hunde essen aus dem Napf, Astronauten essen aus der Tube,
und Bauern? Rustikale Tischmanieren in Österreich:

Fotografiert in Ischgl

Wohlfühl-Bekleidung für leidgeprüfte Boxer: Shorts, die ganz
sanft sind beim Zuschlagen.

Ein weiteres verblüffendes Beispiel für die neue Ehrlichkeit in der Werbung:

Anzeige aus einem Real-Markt in Garbsen bei Hannover

Topfunter-Setzer
ausziehbar
Edelstahl

7102

Also bei Aldi, da ging's neulich ja wieder topfunter, topfüber!

Tür klemmt, Kleiderhaken abgebrochen, Sitzbank wackelt.

Behinderte-Kabine

Entdeckt im Freizeitbad »Aquadrom« in Hockenheim

117

Service-Paradies
Deutschland

Ist doch nur fair: Wer über Ostern geöffnet hat, der darf dafür ruhig von Karfreitag bis Ostermontag geschlossen haben.

Aushang in einem Schaufenster im Düsseldorfer Hauptbahnhof

Kreuzberger Nächte sind lang. In Freiburg dauern sie sogar noch länger, zumindest am Wochenende.

Rebaradurbedürftige Orthografie:

Gesehen an einer Ladentür in Nürnberg

Unsere Brötchen machen Urlaub. Wenn Sie Erfahrung als
Belegtes Brötchen haben, dann bewerben Sie sich!

Aushilfe für
die Belegten Brötchen gesucht
auf 400 € Basis, ab 18 Jahren:

Arbeitszeiten: Montag-Freitag
6.30-9.00 Uhr
Anfragen in der Filiale

Aushang im Schaufenster einer Billig-Bäckerei in Stuttgart

Aushang einer Imbiss-Stube am Hermsdorfer Kreuz (Thüringen)

Man darf sich auf den März freuen, wenn dieses Zürcher Restaurant wegen Auf wieder geöffnet hat!

Fundstücke aus dem Tiefkühlregal

Sie mögen Hühnerfleisch in Curry-Sauce? Dann hat Lidl jetzt was besonders Feines für Sie, ganz neu, mit veränderter Rezeptur. Da fragt man sich doch, was eigentlich vorher drin war.

Der Katze mag's egal sein, was auf der Futterdose steht. Doch die Enten werden sich beschweren: Seit wann gehören sie nicht mehr zur Kategorie Geflügel?

Schnappschuss an einem Flughafen irgendwo im Ausland. Vielleicht war's in Schlanghei? Das würde einiges erklären!

Neu: Diese blaue Kinderbrause gibt es jetzt auch mit pfand-
freiem Geschmack! (Das hätte der ehemalige Umweltminister
Jürgen Trittin natürlich nie durchgehen lassen.)

Dick ist dieser Bär schon längst. Aber er muss noch lange
»schlechen«, bevor er bei solcher Orthografie auch cool wirkt.

Von Menschen und Tieren

Was sagt uns dieser Hinweis? Achtung, liebe Kröten, ab hier müsst ihr aufrecht gehen! Oder: Achtung, Fußgänger, haltet eure Kröten bereit, gleich wird die Maut fällig! Oder: Menschen sind auch nur Kröten!

Gesehen in der Eifel

Die Gegend um Wiesbaden ist berühmt für ihre Trödelmärkte, und noch berühmter ist sie für den Hallenfloh.

Und da heißt es immer, Hühner seien dumm. So ein Quatsch! Einige gehen sogar auf die Uni! Ein längeres Leben garantiert es ihnen allerdings nicht.

Gesehen an einem Imbissstand in Hürth

Hinweisschild aus dem Magdeburger Zoo. Wie wir erfahren haben, ist das Gehege inzwischen fertig, und die ersten Mieter sind eingezogen.

Hier bauen wir
für Sie ein neues
Tiergehege

In Pfedelbach wurde eine neue Hunderasse gezüchtet. Es handelt sich um eine Kreuzung aus Golden Retriever und Neu-Orthograferaner:

Die Symbole sagen es deutlich: Hier duldet man kein Eis – und auch keine andere Speis.

Bezeichnenderweise befindet sich auf der gegenüberliegenden Straßenseite ein chinesisches Restaurant …

Bildnachweis

Der Dank gilt folgenden Personen, die ihre Genehmigung zur Veröffentlichung der Fotos, Zeitungsausschnitte und anderer Materialien gegeben oder sie zur Verfügung gestellt haben. Soweit es möglich war, hat der Verlag die Copyright-Fragen zu den Abbildungen geklärt. Nicht erreichte oder erwähnte Inhaber von Bildrechten werden gebeten, sich beim Verlag zu melden.

Zum Lesen, Lachen und Nachschlagen

Paperback. KiWi 863

Gebundene Schmuckausgabe mit Lesebändchen

Paperback. KiWi 900

Paperback. KiWi 958

Witzig und unterhaltsam – die »Wegweiser durch
den Irrgarten der deutschen Sprache« von Bastian Sick
begeisterten bereits Millionen Leser.

www.kiwi-verlag.de

Raus mit der Sprache!

„*Die poetischste Art, mit Sprache umzugehen, finde ich bei Udo Jürgens.*"

Bastian Sick

Udo Jürgens „*Lieder voller Poesie*"
Ausgewählt und kommentiert von
Bastian Sick

Bastian Sick kommentiert schriftlich 19 seiner Lieblingstitel
aus der gesamten Schaffensperiode von Udo Jürgens.
Jetzt im Buch- und Tonträgerhandel erhältlich.